찰리, 사랑에 빠지다

찰리, 사랑에 빠지다

초판 제1쇄 발행일 2010년 2월 15일
초판 제35쇄 발행일 2022년 3월 20일
글 힐러리 매케이 그림 샘 헌 옮김 지혜연
발행인 박헌용, 윤호권 발행처 (주)시공사
주소 서울시 성동구 상원1길 22, 6-8층 (우편번호 04779)
대표전화 02-3486-6877 팩스(주문) 02-585-1247
홈페이지 www.sigongsa.com/www.sigongjunior.com

Charlie and the Cheese and Onion Crisps

ISBN 978-89-527-8696-8 74840
ISBN 978-89-527-5579-7 (세트)

*시공사는 시공간을 넘는 무한한 콘텐츠 세상을 만듭니다.
*시공사는 더 나은 내일을 함께 만들 여러분의 소중한 의견을 기다립니다.
*잘못 만들어진 책은 구입하신 곳에서 바꾸어 드립니다.

KC마크는 이 제품이 공통안전기준에 적합하였음을 의미합니다.
제조국 : 대한민국 사용 연령 : 8세 이상
책장에 손이 베이지 않게, 모서리에 다치지 않게 주의하세요.

찰리, 사랑에 빠지다

힐러리 매케이 글 • 샘 헌 그림

지혜연 옮김

시공주니어

차례

제 1 장
양파 치즈 맛 안 돼!

점심시간이었다. 찰리와 헨리는
나란히 앉아 있었다. 찰리와
헨리는 가장 친한 친구였기
때문에 늘 함께 앉았다. 찰리와
헨리는 5년 동안 가장 친한
친구로 지내 왔다. 유아원 입학 첫날 '생각하는
의자'에서 만난 뒤로 줄곧 그렇게 지냈다.

아무도 찰리만큼 헨리를 이해하지 못했고 누구도
헨리만큼 찰리를 이해하지 못했다.

"원하면 내 양파 치즈 맛 과자 먹어.
무지하게 끔찍한 냄새가 날
거야!"

찰리가 헨리에게 이렇게
말했을 때 헨리는 단박에
눈치를 채고는 받아쳤다.

"평소에는 끔찍한 냄새가
나도 별로 신경 쓰지 않더니…….
원래 그 맛 좋아했잖아! 너 또 누군가에게 빠졌구나,
그렇지?"

찰리는 미소를 지은 채 아니라고 하진 않았다.

헨리가 다그치듯 물었다.

"이번에는 누구야? 야, 말하지 마! 대충 알 것
같아! 오늘 아침에 새로 오신 교생 선생님이구나!"

찰리는 아주 엉큼한 미소를 짓더니 식당 건너편에 있던 선생님을 건너다보았다.

헨리가 물었다.

"선생님 이름이 뭐였지? 말씀해 주신 것 같은데 제대로 안 들었어."

찰리는 어깨를 으쓱였다. 찰리도 제대로 듣지 않았던 것이다. 찰리는 이름이 그다지 중요하지 않다고 생각했다. 그냥 새로 온 선생님이고, 결혼은 안 했고, 아주 멋지고 아름답다는 것만 알면 그만이었다. 선생님은 긴 빨간색 곱슬머리였고,

가죽끈에 돌멩이가 달린 목걸이를 하고 다녔다.

헨리가 말했다.

"별로 특별하지도 않던데. 무지하게 털털한 것 같기도 하고 마녀같이 생긴 것 같기도 해. 목에 걸고 다니는 돌멩이도 시시해 보여."

"나도 알아. 룰루한테 바닷가에서 주운 거라고 말하는 거 들었어."

헨리가 말했다.

"뭐 그런 걸 목에 걸고 다녀? 그럴 만한 가치가 없는 것 같은데. 언젠가 바닷가에서 그 돌멩이랑 똑같이 생긴 죽은 물개를 본 적이 있어……."

"너 그 얘기 한 번만 더 하면 백 번째다."

"죽은 물개 엄청 컸는데……."

찰리가 반박했다.

"물개들은 그렇게 크지 않아."

"물개들은 동물원에서 보는 것보다 죽었을 때

훨씬 더 커 보여. 일부가 뜯겨져 나간 것 같았어.
그리고 냄새는 마치……."

(헨리는 찰리의 도시락을 노려보며 말했다.)

"아주 오래돼서 상한 햄 샌드위치 같은……."

찰리는 투덜거리며 말했다.

"왜 그 이야기를 또 하는 거야!"

"난 그 돌멩이가 절대로 목에 걸 만한 가치가 있는
물건이 아니라는 설명을 하고 있는 거야……."

찰리는 자기 샌드위치에 들어 있는 햄을 꺼내
헨리의 목뒤로 밀어 넣었다. 식당 아주머니가
때마침 햄을 들고 있는 찰리를 잡아 벽에 세웠다.
헨리는 그래도 친구라고 찰리를 쫓아가 옆에 붙어
서 있었다. 벌을 받으면서도 두 아이는 눈을 떼지
않고 새로 온 젊은 교생 선생님을 살펴보았다.

"구두도 형편없어."

헨리 말에 찰리가 말했다.

"여자들은 굽이 아주 높은 구두나 롤러스케이트를
신을 때만 근사해 보여. 왜 매일 그런 신발을 신고
다니지 않는지 모르겠어. 나라면 매일 신을 텐데."

"그럼 계속 넘어질 텐데?"

찰리는 헨리가 어리석기 짝이 없다는 듯 눈을
휘굴리며 말했다.

"안 넘어져. 내가 여자라면 말이야, 이 바보야!"

헨리는 목뒤에서 햄 조각을 끄집어내 먹었다.

헨리는 더 이상 따지지 않았다. 소용없다는 걸 알고
있었기 때문이다. 찰리는 사랑에 빠질 때면
머리가 이상하게 되곤 했다. (이전에 수도
없이 그랬듯이) 이제 찰리는
양파 치즈 맛 과자를 포기할
터였다. 그리고 더 열심히
축구 기술을 익힐 것이고,
많은 시간을 미소 지은 채
벽에 기대고 서서 보낼
것이며, 큰 용기에 들어 있는
헨리의 젤을 빌려 머리에 잔뜩
발라 고슴도치처럼 세울
것이다. 아주 어색하게
말이다. 하지만 찰리가
사랑에 빠질 때 단
한 가지 좋은 점이

있었다.

헨리가 생각했다.

'결코 오래가지는 않는다니까.'

점심시간이 끝난 다음, 헨리와 찰리는 밖으로
나갔고 새로 온 교생 선생님은 교실 안으로

들어갔다. 찰리는 되도록 유리창 가까이에서 축구
기술을 뽐냈다. 그동안 헨리는 유리창을 통해 교생
선생님을 살피면서 이따금씩 찰리를 도와준답시고
보이는 대로 말했다.

"보고 있지 않으셔……. 방금 그걸 안 보셔서
다행이다……. 아직도 이쪽을 보지 않으셔."

새로 온 선생님도 오후를 넘기지 못했다.
선생님은 먼저 종이 접시를 나눠 주고는 아이들에게
몸에 좋은 샐러드를 그리라고 했다. 그다음에는
종이를 나눠 주며 헨리 8세(영국의 왕 : 옮긴이)의
불행했던 여섯 아내를 그려 보라고 했다.

"여섯 명의 아내 이름을 써넣고 색칠하세요."
찰리는 여섯 명 모두를 곱슬머리로 그렸다.
가죽끈에 돌멩이가 달린 목걸이도 똑같이 그려
넣었다. 찰리가 그린 그림을 본 선생님은 찰리

그림을 재활용 쓰레기통에 버렸다.

선생님이 말했다.

"버릇없게 굴지

않았으면 좋겠구나."

버릇없게 굴

마음이었다면 그

정도로 그칠 찰리가

아니었다. 찰리는

마음에 상처를 받았다.

헨리 말이 맞았다. 찰리도 선생님이 마녀처럼

생겼다고 생각하게 됐다.

찰리는 헨리와 함께 집으로 오면서 말했다.

"난 정말 완벽한 사람을 만나고 싶어."

찰리는 헨리에게 자기 이상형에 대해 털어놓았다.

찰리는 양 갈래로 땋은 곱슬머리가 옆으로 삐죽

뻗쳐 있고, 흥미로운 물건이 달린 목걸이를 하고

다니며, 스케이트보드나
롤러스케이트를 잘
타거나, 아주 굽이 높은
구두를 잘 신는
여자였으면 좋겠다고
말했다. 찰리가 이렇게
말해도 헨리는 하나도
놀라지 않았다.

찰리는 미술 시간에
그린 샐러드 그림을 옆에
있던 쓰레기통에 던져 넣으면서 말했다.

"그리고 절대로 샐러드를 먹지 말아야 해."

헨리가 말했다.

"샐러드는 몸에 좋은 거야. 코끼리를 봐."

찰리는 지지 않았다.

"그래, 코끼리 봐라! 온몸이 쭈글쭈글하고

멸종되기 일보 직전이라고!"

헨리는 뜻밖의 사실에 적잖이 놀랐다.

"가서 엄마한테 말해야겠어. 엄마가 걸핏하면 코끼리를 보라고 하면서 몇 년 동안 나한테 샐러드를 먹게 했다고!"

찰리가 말했다.

"그래, 가서 너의 엄마에게 말씀드려."

헨리가 자기 엄마에게 따지고 있을 때, 찰리는 헨리를 도와준답시고 옆에 서서 고개를 끄덕였다.

"코끼리를 보라고요!"

헨리의 엄마는 아이들이 가구라도 되는 양 아이들 주위로 진공청소기를 돌리면서 말했다.

"코끼리를 보라고? 코끼리가 나타나면 그때 다시 말해 주겠니?"

헨리의 엄마는 찰리와 헨리에게 사과와 귤을 주었다. 그리고 금요일이었기 때문에 특별히

스마티즈 초콜릿을 한 봉지씩 주고는 아이들을
2층으로 쫓았다.

　찰리와 헨리는 사과와 귤을 우적우적 씹어
먹었고, 스마티즈는 나중을 위해 남겨 두기로 했다.
나중에 찰리가 헨리에게 놀라운 스마티즈 기술을
가르쳐 주기로 했기 때문이다.

　　찰리와 헨리는 헨리가 최근에 산 바나나 젤(열대
과일 향 초강력 젤)로 머리를 삐죽삐죽하게 세워
고슴도치 모양으로 만들었다. 헨리는 찰리에게
자기의 이상형을 말했다. 아주아주 부자인데 돈을
관리하는 것이 귀찮아서 헨리에게 적어도 몇십 억쯤
주는 여자라고 했다. 또 돈을 건네주자마자 헨리
이상형은 세상 반대편 아주 먼 곳으로 떠나서 살
거라는 말도 덧붙였다.

　　헨리가 으쓱하며 물었다.

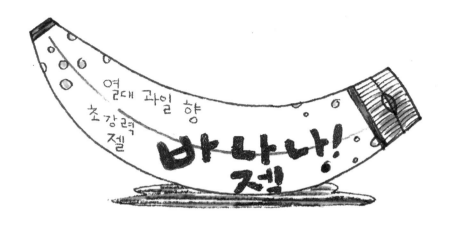

"어때, 완벽하지? 인정해라."

찰리는 전혀 완벽한 여자가 아니라고 말했다.

헨리도 지지 않았다.

"네 이상형도 마찬가지야."

그러고는 거리로 나가서 자기들이 세운 머리가 바람에도 끄떡없는지 살폈다.

헨리가 말했다.

"이런, 세상에!"

바로 이상형의 여자가 눈앞에 나타났기 때문이다.

찰리의 완벽한 이상형.

완벽한 이상형이 맥스 형과 함께 걸어오고 있었던 것이다.

제 2 장
엄청난 양의 스마티즈

찰리가 생각했던 완벽한 이상형의 누나는 교복을 입고 있었다. 이상형이 입으니 교복도 이 세상에서 가장 멋진 옷같이 보였다. 엄청나게 큰 셔츠가 아주 조그만 교복 치마를 거의 다 덮고 있었다. 넥타이가 허리띠로 변해 있었고, 한쪽 어깨에는 청 가방이 흔들거리며 매달려 있었다. 그리고 숱 많은 금발의 곱슬머리는 양 갈래로 땋았는데 뒤로 펄럭이고

있었다. 목에는
은사슬 목걸이와
조개껍질
목걸이와 가죽끈에
돌멩이가 달린
목걸이까지 주렁주렁 걸려
있었다. 찰리 이상형은
걷고 있지 않았다.
주르륵 미끄러지고
휙휙 돌기도 했다.

이상형은 바퀴가 달린 하얀색 운동화를 신고,
길거리를 떠다니듯 걷고 있었다. 가끔은 앞으로 쭉
갔다가 가끔은 뒷걸음질로 걸으며 땋은 머리를
흔들면서 계속 맥스가 있는 곳으로 돌아갔다.
　　찰리가 소리쳤다.
　　"너무 억울해!"

찰리가 생각하기에, 형과 비교하면 세상은
찰리에게 전혀 공평하지 않았다. 맥스 형은
찰리보다 네 살이 많았다. 찰리는 형이 워낙 운도
좋은 편이지만 왠지 찰리 운까지 모두 가져가 버린
것 같다는 생각이 들었다.

맥스는 10대로 접어들었고 또래보다도 훨씬 키가
컸다. 그리고 뭐든지 잘했다.
손가락으로 휘파람을 불 수도
있고, 한쪽 눈썹만 위로 올릴
수도 있으며, 축구공을 가지고
자유자재로 놀 수도 있었다.
그네를 타다 휙 하고 뛰어내릴
수도 있고, 수영장에서는
뛰어서 다이빙을 할 수도
있으며, 양손을 놓고 자전거를
탈 수도 있었다. 맥스 형은

얼마나 쑥쑥 크는지 옷이 낡을 때까지 입지 않아도
됐다. 하지만 잘 자라지 않는 찰리는 늘 똑같은 옷을
입어야 했다.

찰리가 맥스 형을 도저히 참지 못할 때도 있었다.

찰리의 이상형이 맥스와 길을 가다가 멈춰 섰다.
이상형은 가로등에 걸려 있는 경고 표지판을 손으로
가리키더니 맥스랑 같이 읽어 보았다. 찰리의
완벽한 이상형은 미소를 지으며 고개를 끄덕이고
있었다. 맥스는 어깨를 으쓱이더니 가로등을
뒤로하고 걸었다. 맥스와 찰리의 이상형은 찰리와
가까워지고 있었지만 까불거리면서 걷고 있던
찰리를 보지 못한 모양이었다.
　　맥스와 이상형은 자꾸 뒤를 돌아보았다.
　　"어떻게 하면 나를 쳐다볼까?"

찰리는 이렇게 중얼거리다가, 갑자기 정답이 자기 손에 달려 있다는 것을 깨달았다.

놀라운(거의 완벽에 가까운) 스마티즈 기술.

놀라운 스마티즈 기술은 다른 이름도 있었다.

스마티즈 마시기.

스마티즈 봉지를 높이 든 다음, 입을 크게 벌리고, 스마티즈를 쏟아부으며 마시는 기술이다. 숨쉬기와 삼키기의 절묘한 조화와 타이밍이 중요하다.

맥스와 찰리의 이상형은 몇 발자국밖에 떨어져 있지 않았다. 찰리는 스마티즈 봉지를 잡아 뜯고는 고개를 뒤로 젖혔다.

꼴깍, 꼴깍꼴깍, 스마티즈가 찰리의 벌어진 입으로 들어가더니 사라졌다.

그야말로 장관이었다.

5초 동안 일어난 알록달록 화려한 기적이었다. 단

한 개의 스마티즈도 놓치지 않았다. 지금까지의 그 어떤 공연보다 가장 성공적이었다.

헨리는 박수를 쳤다. 맥스는 역겹다는 표정을 지었다. 바퀴 달린 운동화를 신은 찰리의 이상형은 이 멋진 공연을 하나도 보지 못한 채 물었다.

“뭐야?”

“여기요!”

하고 찰리가 꽥 소리를 질렀다.

“이번에는 좀 제대로 봐요!”

찰리는 헨리의 스마티즈를 낚아채 들었다.

“야!”

헨리가 뭐라고 했지만 이미 때는 늦었다. 찰리는
처음부터 다시 재주를 펼쳐 보이기 시작했다.

하지만 이번에는 제대로 되지 않았다. 헨리가
소리를 지르는 바람에 찰리는 스마티즈를 마시면서
숨 쉬는 타이밍을 맞추지 못했던 것이다.

찰리는 토할 듯이 캑캑거렸고, 얼마 있다가
화산이 폭발하듯 찰리 입에서 스마티즈가 뿜어져
나왔다. 그러더니 결국 곁에서 지켜보던 사람들
위로 소나기처럼 쏟아져 내렸다.

“아이, 아까워라! 아까워라!”

헨리는 그렇게
소리치며 자기의
귀중한 보물을 줍느라
빠르게 움직였다.
"캑!"
찰리는
캑캑거리더니 또
한 번 스마티즈를
공중으로 뿜어 댔다.
헨리는 화를 내며
소리쳤다.
"그만해, 그만하라고!"
찰리의 완벽한 이상형이 말했다.
"저러다 죽으면 어떡해! 질식할 것 같나 봐! 진짜
질식하겠어!"
맥스는 심술궂은 목소리로 말했다.

"그럴 리 없어. 쟨 내 동생이야. 전에도 저런 짓 하는 걸 수도 없이 봤어. 하여간 지저분하기는."

찰리가 또 한 번 뿜어 댔다.

"우……웩!"

찰리 이상형이 맥스에게 말했다.

"어떻게 좀 해 보라니까!"

맥스는 찰리를 거꾸로 들고 마구 흔들어 댔다. 스마티즈 알갱이가 돼지 저금통에서 쏟아지는 1페니짜리 동전들처럼 쏟아졌다. 찰리는 더 이상 웩웩대지 않았다. 그러다 갑자기 뼈 없는 사람처럼 흐물흐물해졌다.

스마티즈 알갱이는 헨리가 미처 다 줍지 못해서 하늘의 별처럼 흩어져 있었다.

찰리의 이상형이 말했다.

"이렇게 놀라운 광경은 처음이야. 얼마나 먹은 것 같아? 누군가가 이 아이를 보살펴 줘야 하지

않겠어?"

"내가 방금
처리했잖아."

맥스는 그렇게
말하더니 찰리를 보도
위에 거칠게 내팽개치듯
내려놓고는 서둘러
자리를 떴다.

찰리 이상형이
맥스를 뒤쫓아 가며
물었다.

"종종 저러니?"

"응, 정말 자주 저래."

"둘 다 스마티즈를 줍고 있어!"

"아마 주워서 먹을 거야."

"네 동생이라는 애가 나를 보고 웃어. 머리가 진짜

마음에 드는데. 쟤가 직접
했나 봐⋯⋯."

　맥스는 끙 하고
소리를 내더니 조금 더
빨리 걸었다. 맥스와 찰리

이상형은 이제 꽤 멀어졌다.
　찰리의 이상형이 말하는
소리가 찰리의 귓가에
　들려왔다. 웃음 섞인
　또랑또랑한
목소리였다.

"정말 귀엽다."
찰리는 갑자기 행복해져서 기운이 났다.
"효과가 있었어!"
찰리는 신이 나서 헨리를 한 대 치며 말을 이었다.
"저 누나가 뭐라고 했는지 들었어? 나보고

귀엽대! 귀엽다고 했다니까! 어때?"

헨리는 비꼬듯이 말했다.

"그래, 참 좋기도 하겠다. 혹시, 너 지금 내 스마티즈 깔고 앉았어?"

"엄청나게……!"

"난 내 스마티즈를 돌려받아야겠어!"

"알았어. 잠시 빌렸던 것뿐이야."

"빌려 가서는 다 삼켜 버렸잖아!"

찰리는 헨리를 달래는 듯한 말투로 말했다.

"잠깐만, 근데 헨리, 저 누나가 나보고 귀엽다고 했을 때 무슨 생각이 들었어?"

헨리가 말했다.

"미쳤구나, 하고 생각했어."

제3장

스케이트보드 재주

토요일 아침, 찰리가 헨리에게 말했다.

"그래서, 이제 어떻게 할까? 나를 귀엽다고 생각하게는 만들었는데."

헨리가 되물었다.

"맥스 형에게 물어보지 그래? 형은 알고 있을지도 몰라. 맥스 형도 그 누나를 좋아하는 것 같던데."

찰리와 헨리는 공원에 있었다. 집 근처에 있는

길을 따라 자리 잡은 작은 녹색 공원이었다. 찰리 엄마와 헨리 엄마는 올해부터 아이들끼리만도 공원에 나가서 놀도록 허락해 주었다. 집에서 얼마나 가까운지 창문에서 내다보면 공원이 다 보였다. 공원과 집 사이에 있는 거리도 한적한 편이었다.

엄마들이 말했다.

"틀림없이 안전할 거예요."

하지만 토요일 아침, 찰리와 헨리는 공원이 그렇게 안전하다고 느껴지지 않았다. 찰리와 헨리는 주로 스케이트보드 하나를 번갈아 타며 놀았는데, 집에서 나오기 전에 스케이트보드에다 쓸데없이 지나치게 기름칠을 했던 것이다. 그래서 스케이트보드의 상태가 완전히 달라졌다. 기름칠을 하기 전에는 바퀴가 두 개만 움직였는데, 이제는 닿기만 하면 바퀴 네 개가 다 휙 하고 돌아갔다.

찰리와 헨리는 스케이트보드에 올라서기조차 겁이
났다.

찰리가 제안했다.

"다시 빡빡하게 만들어야겠어. 그리고 맥스 형은
그 누나를 싫어해. 전혀 신경도 쓰지 않는다고. 형이
나한테 직접 그렇다고 했어."

"오호!"

헨리가 믿을 수 없다는 듯 대꾸하더니 공원을
건너다보았다. 찰리의 이상형인 젬마가 어린이
놀이터에서 이제 막 걷기 시작한 어린아이를 그네에
태워 조심스럽게 밀어 주고 있었다. 맥스와 맥스의
친구들은 돌아가면서 공원의 벤치를 뛰어넘고
있었다.

얼마 뒤 맥스 혼자
남았다. 어린이
놀이터에서는 축구를
못 하게 되어
있었다. 그래서
맥스는 놀이터
안에서는 못 하고,
아주 가까운 곳에서
축구 기술을 뽐냈다.
맥스는 축구공을

무릎으로 쳐서 머리로 보낸 다음 어깨로 받아
등으로 미끄러지듯 내려오게 하더니 다시 발로
낚아채듯 위로 올렸다. 이 모든 것이 한 번에
부드럽게 이어졌다. 정말 멋진 기술이었는데 찰리와
헨리 빼고는 보는 사람이 아무도 없었다.

헨리가 말했다.

"너네 형이 너처럼 머리에 젤을 발라 세웠어.
그리고 금요일에 네가 교생 선생님을 바라봤던
것처럼 저 누나를 쳐다보는데?"

"내가 누구를 바라보듯이?"

"새로 온 젊은 교생 선생님. 곱슬머리에 끔찍한
신발! 목에다 죽은 물개 반쪽을 걸고 다니는 선생님
말이야!"

"아, 그 선생님."

찰리는 그렇게 말하면서 조심스럽게 한 발을
스케이트보드에 올려놓았다.

"이것 봐, 헨리!
내가 올라갔어. 균형을
잡았다고!"

"그럼 움직여 봐."

찰리는 될 수 있는 대로 아주 조금씩 앞으로
나가다가 잘난 척하면서 똑바로 섰다.

"야호……."

찰리는 노래를 부르며 20센티미터가량

미끄러지면서 용감하게 젬마 누나에게 손을 흔들어
보였다.

　젬마도 미소를 지으며 손을
흔들어 주었다.
　찰리의 의욕이 지나쳤던
것일까? 찰리는 풍차가
돌아가듯 팔을 미친
듯이 휘젓다 꽃밭에
벌러덩
나자빠졌다.

젬마의 눈썹이 위로 치켜
올라갔다. 젬마는 손으로
입을 가렸다.

"난 괜찮아요! 아무렇지
않아요!"

찰리는 크게 외치고는
벌떡 일어나 잔디밭을
가로질러 그네가 있는 곳까지
달려갔다. 헨리도 찰리의 뒤를 쫓아
달려갔다.

찰리가 말했다.

"헨리, 나 정말 용감하지! 그렇지 않아? 누나,
목걸이 정말 마음에 들어! 누나 운동화 좀 구경해도
돼? 누나는 내가 가장 좋아하는 머리 모양을 하고
다니는 거 알아? 누나가 어제 나보고 한 말을
들었어. 누나도 기억하지?"

젬마가 물었다.

"내가 뭐라고 했는데?"

"나보고 귀엽다고 했잖아!"

"내가?"

"그렇게 말한 거 분명히 들었어."

찰리는 어린아이들이 타는 그네 위로 공중제비를
돌아 젬마의 발 아래로 무사히 떨어졌다.

젬마(양 볼에
보조개가
너무나 귀엽게
들어가는)가
말했다.

"그래, 넌 정말 귀여워!"

그러더니 양손을 뻗어 찰리를
일으켜 주었다.

그때, 축구공이 마치 혜성처럼 찰리의 왼쪽

귀를 스치며 휙 하고 날아갔다. 얼마나 가까이
스치며 날아가던지 휙, 공기의 흐름이 느껴질
정도였다. 누군가가 놀라운 속도로 잔디밭을 날아갈
듯 달려오더니 찰리가 내팽개친 스케이트보드에
훌쩍 올라탔다. 그러고는 엄청난 속도로 길을 따라
곡선을 그리며 타고 갔다. 그러다가 세 개의 계단을
뛰어 내려가(완벽하게 고양이처럼 균형을 잡고

착지해서는) 공원과 길 사이에 있는 덤불숲으로
사라져 버렸다.

얼마 뒤 스케이트보드가 날아와 쿵 소리를 내며
잔디에 떨어졌다.

헨리가 말했다.

"맥스 형은 찰리 네가 귀엽지 않나 봐."

제4장
ㅅㄹㅎ
X
촬리

　몇 분 뒤 찰리는 집으로 돌아왔다. 찰리는 형과 함께 쓰는 2층 방으로 달려갔다. 맥스가 사용하는 위쪽 침대에 뾰루퉁하게 심술을 내고 있는 듯한 울룩불룩 무더기가 있었다.

　찰리는 신이 나서 들뜬 목소리로 말했다.

　"아, 형, 여기 있었구나. 아래층에서 아무리 형을 찾아도 없더라고. 내가 젬마 누나랑 있는 거 봤어?"

침대에 있던 무더기에서 갑자기 한쪽 발이 쑥
나왔다.

"젬마 누나가 새로 이사 왔으니까 축하 카드를
써서 보내고 싶은데. 형, 그때 새로 산 매직펜 좀
빌려 줄 수 있어? 형이 어디에다 감췄는지
모르겠어."
무더기에서 끙 하는 소리가 났다.

"그리고 약간 두꺼운 종이도 빌려 줄 수 있어? 형이 종이를 반으로 접어 줘. 난 한 번도 제대로 접은 적이 없거든."

무더기는 긴 한숨을 내쉬었다.

찰리는 계속 말했다.

"접어 주면 나갈게."

침대 위에 있던 무더기가 바닥으로 굴러떨어지더니 맥스가 되었다. 맥스는 옷장 바닥에서 침낭을 꺼내더니 손을 쑤셔 넣어 새로 산 매직펜을 꺼냈다. 미술 시간에 쓰는 파일에서 두꺼운 종이도 한 장 꺼냈다. 맥스는 종이를 아주 깔끔하게 반으로 접었다.

찰리가 말했다.

"완벽해!"

맥스는 침낭을 열어 매직펜하고 종이를 넣었다. 그런 다음 찰리를 번쩍 안아 들고는 공처럼

구부러뜨려 침낭 안에 같이 넣었다. 그러고는
침낭을 마구 흔들어 안에 있던 모든 물건들이
아래쪽으로 가도록 하고는 위를 비틀어 묶어
버렸다. 맥스는 그 침낭 무더기를 어깨에 짊어지고
방을 나가서는 계단 아래로 굴러떨어지게 했다.
　찰리는 계단을 구르고 굴러 아래층으로 떨어졌다.

바닥을 가로지르고, 열린 현관문을 통과해서 정원까지 굴러떨어졌다. 엄마는 젬마와 함께 울타리를 사이에 두고 이야기를 나누고 있었다.

속도가 늦춰지면서 찰리는 젬마가 하는 소리를 들었다.

"노래방 기계를 사려고 돈을 모으는데…… 전 어린아이들을 좋아해요! 어머, 세상에!"

찰리가 침낭에서 기어 나오면서 말했다.

"안녕, 젬마 누나!"

"무슨 일이야?"

젬마가 묻는 동시에 찰리 엄마가 다그치듯 물었다.

"아니, 맥스 형에게 무슨 짓을 한 거니?"

"아무 짓도 안 했어요."

찰리는 겁먹은 표정으로 엄마를 쳐다보다, 더 겁먹은 표정으로 젬마 누나에게 미소를 지어 보였다.

　찰리는 카드를 만들기 위해 다시 씩씩하게
걸어갔다. 찰리는 맥스 형 매직펜에 있는 모든 색을
다 사용해서 카드 앞에 화려한 집을 그리고, 그 위에
'이사 온 것 추카추카!' 하고 썼다. 그리고 안에는
하고 싶었던 다른 말을 썼다. 커다란 빨간색 하트
모양에다 검은색으로 뾰족한
화살을 그려 넣고는
이렇게 썼다.

　　ㅅㄹㅎ

　　　X

　　찰리

　자기가 써 놓고도
아주 뿌듯했다. 찰리는 카드를 들고 헨리에게

자랑하러 갔다.

헨리가 물었다.

"그런데 누나가 이게 무슨 뜻인지 어떻게 알겠어? 촬리라니? 촬리가 뭐야?"

"촬리는 찰리를 근사하게 부를 때 사용하는 단어야."

찰리가 계속 설명했다.

"그럼 'ㅅㄹㅎ'은 또 무슨 뜻인데?"

"사랑해, 라는 뜻이야."

"그렇다면 X는 뭘 뜻하는 건데?"

"됐어! 그건…… 신경 쓸 거 없어."

헨리는 잘난 척하며 말했다.

"그냥 물어본 거야. 만약에 X가 장소를 뜻하는 게 아니라면 키스하는 것처럼 보이는데, 그럼 바꿔야 하는 거 아냐? 그나저나 누나한테 어떻게 전달할 건데?"

"네가 전해 주면 되지."

"내가? 내가 왜?"

"그야, 넌 나랑 가장 친한 친구니까."

그건 사실이었다. 헨리는 찰리의 가장 친한
친구였다.

찰리가 말했다.

"누나는 지금 공원에 있어. 어느 집 아이를
데리고. 누난 어린아이를 좋아한대. 우리 엄마한테
그렇게 말하는 걸 들었어."

"알았어."

헨리는 카드를 들고 젬마를 찾으러 터벅터벅
걸어갔다.

젬마는 다른 집에서 잠깐 빌려 온 듯한
어린아이와 시소를 타고 있었는데 재미없어 보였다.

어린아이들을 정말 좋아하는 헨리가 제안했다.

"누나, 내가 데리고 놀까? 그럼 쿵쿵 신 나게

부딪치면서 시소 탈 수 있는데."

"아니, 됐어."

헨리는 다시 제안했다.

"내가 그네 태워 줄까?"

헨리는 아이에게 풍선껌을 통째로 주었다.

어린아이는 마음껏 먹을 수 있었다. 아이가

풍선껌을 입에 가득 털어 넣는 바람에 아이 입에서
분홍색 침이 줄줄 흘렀다.

"아이한테 그런 걸 함부로 주면 안 돼!"

젬마는 화를 내더니 아이를 안아 들고 쓰레기통
위에 대고 흔들었다.

"미안! 누나에게 이걸 주려고 왔어."

"뭔데?"

젬마는 어린아이의 모자를 벗기고는
모자에 달린 방울로 아이의
얼굴을 문질러 닦아
주었다. 그런 다음 다시
머리에 모자를 씌웠다.

"아, 카드구나! 고마워!
네가 주는 거야?"

"아니!"

"그럼 누가?"

"스스로 알아내 봐."

젬마는 약삭빠르게 돌려서 물었다.

"누가 나한테 전해 주래?"

헨리는 어느새 정글짐 꼭대기에 올라가 있었다.

"이야! 이것 봐! 손도 떼고 있어!"

어린아이는 감탄한 눈빛으로 헨리를
바라다보더니 갑자기 미친 듯이 정글짐을 오르기
시작했다.

헨리가 부추기며 말했다.

"손을 놔 봐! 그렇지! 이제 나머지 손도……! 앗,
다리가 너무 짧나?"

아이는 젬마의 품으로 굴러떨어졌다. 그 바람에
바퀴 달린 운동화를 신고 있던 젬마가 뒤로
넘어졌다. 얼마나 크게 소리를 지르는지 귀가
떨어져 나가는 것 같았다.

"다리가 너무 짧구나!"

헨리는 중얼거리다가 갑자기 흥미를 잃었는지
집으로 돌아갔다.

모든 상황을 유리창에서 내다보던 찰리는 젬마가
카드를 펼쳐 읽자 만족스러운 듯 안도의 한숨을
내쉬었다.

찰리가 말했다.

"이제는 알겠지."

제 5 장
맥스가 못하는 단 한 가지

맥스는 아주 이상하게 행동하기 시작했다.

운동화를 가지고 불평했다.

가지고 있는 티셔츠를 꺼내 이것저것 다 입어 보았다.

새로 산 청바지를 죽 찢어 조심스럽게 가장자리 실을 풀기도 했다.

쳐다보고 있던 찰리가 말했다.

"형, 엄마가 가만있지 않으실 텐데."

맥스는 거울 앞에 있는 시간이 많아졌다.

한번은 맥스가 찰리에게 물었다.

"내 뒷모습 어때?"

"앞에서 보나 뒤에서 보나 다 똑같지, 뭐. 얼굴만 없다 뿐이지."

하루 이틀이 지난 다음이었다. 찰리가 정원을 통해 집 안으로 들어왔는데, 2층에서 음악 소리가 들려왔다. 살금살금 2층으로 올라가 보니 맥스 형이 있었다.

찰리는 처음에 맥스 형이 음악을 틀어 놓고 운동하고 있다고 생각했다. 셔츠를 벗으며 음악에 맞춰 몸을 꿈지럭대고 있는 것 같기도 했다. 아니면 음악에 맞춰 가려운 곳을 긁고 있다고 생각했다.

그러다가 찰리는 맥스 형이 음악에 맞춰 춤을

추려 한다는 것을 깨달았다. 맥스 형은 춤추는 걸
좋아하지 않는데 참 이상했다. 맥스는 늘 이렇게
변명하곤 했다.

"다리가 아파. 숙제가 있어. 방을 정리해야 해.
지금 텔레비전을 보고 있잖아. 이 책을 읽어야
한다고. 고양이 데리고 노느라 바빠……."

아니면 그저 간단하게 말하기도 했다.

"춤을 추느니 차라리 죽는 게 낫겠다……."

찰리와는 전혀 달랐다. 찰리는 헨리와 함께 네 살
때부터 댄스 무대를 누비며 춤을 추었다. 찰리와
헨리는 디스코를 좋아했다. 상대방이 누구든 가리지
않고 춤을 추었고, 그 어떤 노래도 다 따라 불렀다.
댄스파티에선 탁자에 있는 음료수도 몽땅 마셔
버렸다.

맥스 형을 쳐다보고 있을 때 마침 라디오에서
찰리가 가장 좋아하는 노래가 나왔다. 찰리는

노래를 따라 부르면서 춤을 추지 않을 수가 없었다.

"헤이! (헤이!) 당신! (당신!) 구름을 거둬요!
여기서 어슬렁거리지 말아요, 둘은 많아요!"

찰리는 노래를 따라 부르며 펄쩍펄쩍 뛰었다.
그러다가 헨리가 가르쳐 준 대로 몸을 뒤로 젖힌 채
기타를 퉁기는 흉내를 내면서 춤을 추었다. 그 어느
때보다도 멋져 보였다.

갑자기 음악이
꺼졌다.

맥스가 물었다.

"어떻게 하는 거야?"

찰리는 눈을 뜨면서 되물었다.

"뭘?"

"누가 하는 걸 보고 흉내 내는 거야? 아님 누가 가르쳐 준 거야? 너랑 헨리가 디스코 추러 가면 이런 춤을 추는 거였어?"

잠시 찰리는 머리가 핑 돌았다. 형한테는 숨 쉬는 것만큼이나 쉬워 보이는 것들에 관해 수도 없이 질문을 하는 쪽은 언제나 찰리였다.

맥스가 물었다.

"내가 물어본 이유는 디스코 파티를 가게 될지도 몰라서야. 거기 가면 아마도 틀림없이…… 어쩌면……."

"춤을 춰야 해?"

"그래, 그런데 넌 잘 추는 것 같아! 어쨌든, 너는 얼굴도 벌겋게 달아오르지 않고 중간 중간 어색하게 멈추지도 않는 것 같고……."

'정말 맥스 형 맞나?'

찰리는 의아했다. 찰리에게 풍선껌 부는
방법이며, 자전거 타는 법, 공원에서
소방대원들처럼 기둥을 타고 미끄러지듯 내려오는
법, 풀잎피리를 부는 법을 가르쳐 준 형인데.

'형이 지금 농담하나?'

맥스는 농담하는 법이 없었다.

찰리는 갑자기 자기가 형보다 나이가 많고,
똑똑하고, 대단히 성공한 사람이 된 듯한 느낌이
들었다. 찰리는 자기가 다 큰 형이 되고, 맥스 형이
아무짝에도 쓸모없는 동생이 된, 그런 기분이었다.

그다음 30분 동안 찰리는 인내심을 갖고 맥스
형에게 춤을 가르쳐 주었다. 하지만 형에게 춤을
가르치는 건 너무너무 힘든 일이었다.

찰리가 말했다.

"팔하고 다리를 다 움직여야 해. 드럼을 치고
있다고 생각해 봐. 아니면 나같이 기타 치는 흉내를

내든지! 그리고
노래를 따라 불러!
가사를 모르면 직접
만들어서 불러도 돼!
그리고 잠깐이라도 발을
내려다보지 않으려고
노력해 봐!"

　찰리는 용기를 주며
말했다. (형의 춤
솜씨는 하나도
나아지지 않았다.
세상에서 맥스 형이 못하는 단 한
가지가 찰리가 유일하게 잘하는 것이라니……)
　"어쨌든, 나중에는 느린 음악을 틀 거야. 느린
음악이 훨씬 쉬워. 형은 그저 가장 예쁜 여자한테
가서(그 과정에서 어쩌면 그 여자에게 다가가는 몇

놈 정도는 밀쳐 내야 할걸?) 이렇게 말하는 거야. '이 곡은 당신과 추고 싶습니다.' 그리고 여자의 손을 잡고 놓지 않는 거야."

그러자 컴컴한 밤이나 유령도 무서워하지 않고, 놀이동산에 있는 가장 무서운 기구도 맘대로 타고, 공을 차다 담을 넘어가면 누구네 집이라도 서슴없이 주우러 들어가고, 물이 아무리 깊어도 용감하게 뛰어들며, 심지어 프랑스 사람을 만나도 움츠리지 않고 프랑스 말을 하는, 이 세상에서 그 누구보다도 용감한 맥스 형이 완전히 겁먹은 표정을 했다.

맥스가 물었다.

"손을 잡아?"

"물론!"

"나오지 않으려고 하면 어떡해?"

"더 세게 잡아당겨야지."

"내 말은, 여자애가 싫다고 하면 어떻게 하냐고."

"절대로 싫다고 안 해. 오히려 고마워한다니까!"

제 6 장
맥스가 기다리고 기다리던 밤

금요일 오후, 헨리와 함께 집으로 걸어오는 길에
찰리가 물었다.

"오늘 밤 우리 형이 뭐 하는지 알아?"

"널 패 버린대?"

"아니."

"영국 축구 대표 팀 입단 시험 보나?"

"아직은 아니야."

"위타빅스(아침으로 먹는 콘플레이크
종류 : 옮긴이) 열네 개 먹기 챔피언 전에 나가?"

"아니, 아직 열두 개에 머물고 있어. 열두 개 먹고
질식하는 줄 알았지."

"그럼 몰라, 포기야."

"디스코 파티에 간대."

헨리는 믿을 수 없다는 듯 콧방귀를 뀌었다.

찰리가 말했다.

"정말이라니까! 형 친구 그렉 형하고 학교에서
우리 집으로 같이 돌아올 거야. 그런 다음 옷을
갈아입고 같이 간다고 했어. 입고 갈 옷도 내가
골라 줬다니까."

"네가!"

"그래, 그리고 춤추는 법도 가르쳐 줬어."

"뭐라고? 우리가 기타 치는 흉내를 내면서 추는
춤?"

"그래!"

"잘해?"

"아니."

헨리는 픽 하고 웃었다.

찰리가 이어 말했다.

"하지만 아마 괜찮을 거야. 느린 곡이 나오면
어떻게 해야 하는지도 다 알려 줬어. 여자를 데리고
나가는 방법까지."

"어떤 여자?"

"흠, 형이 말해 주지 않으려고 하던데."

"젬마 누나구나."

"아니, 젬마 누나는 아니야. 형은 젬마 누나를
좋아하지 않아! 예쁘게 생겼다고도 생각 안 해!
나한테 그렇게 말했어."

"예쁘긴 한데."

찰리가 진지하게 말했다.

"젬마 누나는 내 여자라고."

둘은 헨리네 집 문까지 왔다. 찰리는 자기가 스물한 살쯤 되고 헨리가 여섯 살쯤 된 듯 헨리에게 문을 열어 주었다. 그러자 헨리는 화가 났다.

헨리가 말했다.

"고맙지만, 나도 문 열 수 있어. 사실 젬마 누나는 너보다 내가 먼저 봤어."

"뭐라고?"

헨리는 되도록 찰리의 화를 돋우려고 하면서 말했다.

"내가 먼저 데이트 신청할 수도 있는데……. 맥스 형은 누나를 좋아하지 않고 넌 너무 겁을 먹고 있으니 말이야."

"난 겁나지 않아."

"그럼 데이트 신청해 봐! 아마 못할걸?"

"할 거야."

“언제?”

“내가 하고 싶을 때.”

“아하! 넌 못할 거야! 두 배 내기 하자!”

찰리는 씩씩하게 걸어갔다. 그리고 자기 집 문을
열고는 안으로 사라졌다.

전화가 울렸다. 헨리였다.

"문고리 걸고 두 배 내기!"

찰리는 수화기를 탁 내려놓고 방으로 가서 화를 냈다. 얼마 있다가 엄마가 들어왔다.

엄마가 찰리를 보더니 말했다.

"문제가 생겼어. 오늘 저녁 널 어떻게 해야 하지? 아빠는 늦게까지 일해야 하고 맥스 형은 나가야 한대. 엄마는 요가 수업이 있는데. 어쩔 수 없이 너도 엄마를 따라가야겠다."

엄마는 못마땅한 표정이었다. 찰리도 못마땅했다. 엄마의 요가 수업은 찰리 성격에 맞지 않았기 때문이다.

찰리가 엄마에게 말했다.

"지난번에 마지막이라고 하셨잖아요."

찰리의 엄마도 인정했다.

"그래, 다시는 안 데려간다고 해 놓고 또 데려가게 생겼구나. 그건 그렇고 방금 헨리가 전화했는데 이상한 소리를 하더라. 너한테 노란색 문고리라고 전해 달라던데?"

찰리는 으르렁거리면서 라임 향의 헤어 젤을 한 움큼 덜어 머리에 문질렀다. 라임 향을 뿜어 대는 촉수처럼 머리를 만들고는 방에서 뛰쳐나갔다.

찰리 엄마가 소리쳤다.

"어디 가?"

"여자 만나러요!"

"무슨 여자?"

"젬마 누나요."

"그거 좋은
생각이구나."
찰리 엄마가
말했을 때,
찰리는 이미
사라지고
없었다.

찰리가 헨리에게 말했다.

"그래, 노란색 문고리다. 오늘 나에게 양파 치즈
맛 과자 같은 거 권하지 마. 오늘 젬마 누나랑 아주
중요한 밤을 보낼 거니까. 우리 집에 피자 먹으러
오기로 했어. 누나랑 영화도 볼 거야!"

헨리는 샘이 나서 소리쳤다.

"어, 나도 없이 피자를 먹다니. 야, 치사하다! 난
너 빼고 피자 먹은 적이 없는데. 페퍼로니 피자로

먹겠지? 그런데 무슨 영화 볼 거야?"

"네가 속상해할까 봐 말해 주지 않을래."

헨리가 소리쳤다.

"나도 어쩌면 젬마 누나와 사랑에 빠질지도 몰라. 내가 너보다 먼저 봤다니까!"

찰리는 라임 향을 뿜어 대는 촉수를 신경질적으로 흔들면서 말했다.

"누나가 머, 너한테 눈길이나 줬냐? 그리고 다 네 잘못이야! 내기를 하자고 한 것도 너고!"

"오케이. 그럼 이번에는 다른 걸 걸고 내기하자. 어디 한번 누나한테 결혼하자고 해 봐!"

"뭐라고?"

"두 배 내기! 뭘 거냐 하면……."

"물론 할 거야. 문제없어!"

제 7 장
찰리가 기다리고 기다리던 밤

그날 저녁, 찰리는 젬마 누나가 정말 아름답다고
생각했다.

젬마와 찰리의 엄마는 현관문에서 만났다. 젬마가
집에 오자 엄마는 집을 나섰다. 젬마는 찰리가 있는
곳까지 미끄러지듯 오더니 바퀴가 달린 운동화를
벗어 버리고는 풍선껌 냄새를 풍기면서 아주
다정하게 찰리를 껴안아 주었다. 찰리가 바퀴 달린

운동화를 신어 보는 동안 젬마는 문턱에 앉아서
발톱을 파란색으로 칠했다. 찰리와 젬마는 피자도
문턱에 앉은 채로 먹었다. 젬마 누나랑 같이 먹으니
헨리나 맥스 형과 먹을 때와는 아주 달랐다. 누가 더
큰 조각을 차지할 것인지, 누구 피자에 페퍼로니가
더 많이 얹어져 있는지 따위의 실랑이는 없었다.

"난 페퍼로니 싫어해."

젬마는 그렇게 말하더니

페퍼로니를 손으로 집어내 덤불숲으로 던져 버렸다.
피자 가장자리 빵도 먹지 않았다. 젬마는
조심스럽게 버섯까지 집어냈다. 두 조각을 먹고는
나머지를 다 찰리에게 먹으라고 주었다. 찰리가
피자를 먹는 동안 젬마는 눈을 감고 노래를
흥얼거리면서 자기가 사려고 하는 노래방 기계에
관해 설명해 주었다.

　피자를 먹은 다음 젬마는 다이어트 중이라며
저지방 요구르트 세 개를 먹었다. 찰리는 다이어트
중이 아니라 요구르트를 먹지 않았다. 다 먹은 다음
젬마와 찰리는 소파에 나란히 앉아 영화를 보았다.

　젬마는 용감무쌍한 해적 선장을 보고 고개를
끄덕이며 말했다.

　"너랑 저 주인공이랑 진짜 많이 닮았어!"

　"나랑?"

　"물론이지. 제대로 분장만 하면 아주 비슷할 것

같아! 원하면 내가 해 줄
수 있어."

"언제? 지금? 나한테
해적 모자도 있는데."

젬마가 말했다.

"그럼, 어서 해 보자!"

시간도 많이 걸리고 찰리
엄마의 화장품도 많이 써야
했지만 그럴 만한 가치는 충분히 있었다.

아직 영화가 끝나지 않아 조명은 계속 어둡게
낮춰져 있었다.

젬마가 소파로 돌아와서 말했다.

"이것 봐! 내가 말했잖아! 머리만 빼면 아주
똑같아!"

찰리는 허스키한 목소리로 말했다.

"머리야 기르면 되지. 그런데 누나!"

"응?"

"내가 열여섯이 되면 누나는 몇 살이 되는 거지?"

"스무 살."

"그럼 그때 나랑 결혼해 줄래?"

"그래, 좋아."

찰리가 소리쳤다.

"헨리에게 빨리 말해 줘야지. 이거 너무 쉽잖아!"

"뭐가 쉬워?"

찰리는 젬마의 어깨에 팔을 두르고는 말했다.

"아무것도 아니야."

젬마가 말했다.

"정말 귀여워!"

그러다 갑자기 모든 것이 엉망이 되고 말았다.

쾅! 현관문이 닫히는 소리가 났다. 맥스였다.

쿵! 쿵! 쿵! 맥스가 복도를 걸어서 거실로

돌진하듯 들어왔다. 그러고는 불을 켰다. 머리
모양만 빼고 해적 선장처럼 분장을 한 채 편안하게
젬마에게 기대앉아 있던 찰리는 놀라서 눈을
껌뻑였다.

젬마는 나지막한 소리로 인사했다.

"안녕!"

깜짝 놀란 맥스는 큰 소리로 말했다.

"아니, 너! 너 여기 있었어? 그랬구나, 그랬어!
미리 알았어야 했는데! 잘 가!"

"형이 이상하네."

찰리는 그렇게 말하고는 다시 아늑하게 자리를
잡아 보려고 했지만, 황홀했던 마법의 순간은
사라지고 말았다.

젬마는 시계를 들여다보고는 말했다.

"그만 가야겠다. 두 시간······ 두 시간 반······ 세
시간이라고 해야겠네. 쪽지를 써 놔야겠어."

찰리가 애원하듯 말했다.

"누나, 정말 가려는 건 아니지?"

하지만 젬마는 가려고 일어섰다. 젬마는 바퀴
달린 운동화를 잡아당겨 신고는 찰리 손에 작은
분홍색 쪽지를 쥐여 주었다. 얼마나 서둘러
나갔던지 젬마는 집에 들어서던 찰리 엄마와
부딪쳤다.

"안녕, 사랑스런 찰리!"

젬마는 찰리에게 인사를 하고는 가 버렸다.

기다리고 기다리던 밤이 그렇게 끝났다. 모두
맥스 형 잘못이었다. 찰리는 따지려고 2층으로
올라갔다.

맥스는 침대에 얼굴을 묻고 씩씩거리고 있었다.

"그 끔찍한 춤도 배우고…… 머리에 끈적거리는
것도 바르고, 하루 종일 조마조마했는데!

2파운드(영국의 화폐 단위 : 옮긴이)나 쓰면서! 결국
이렇게 고통을 받으려고 2파운드를 쓴 거야! 자기가
가자고 해 놓고! 자기가 먼저 가자고 했잖아! 계속
이리저리 어슬렁거리면서 기다리고 또 기다렸는데!
오겠다고 해 놓고는! 약속까지 했잖아! 그러다 결국
바보 같은 녀석들한테 다가갔더니, 그 바보 둘이
내가 같이 춤을 추자고 하는 줄 알더라고. 그게
아니라고 쩔쩔매면서 물어봤더니 그 친구들이
뭐라고 했는지 알아?"

"뭐래?"

"젬마가 갑자기 아기 돌보는 아르바이트가 생겨서
갔다는 거야."

"아!"

"그런데 그게 너였다고!"

찰리가 되물었다.

"나? 나라고? 미쳤어? 당연히 나는 아니지. 나는

젬마 누나하고 내내 같이 있었는데……."

그러다가 찰리는 손에 쥐고 있던 분홍색 쪽지를
내려다보았다.

찰리는 쪽지를 펼쳤다.

아기 돌보기

3시간 X 시간당 3.50파운드
=10.50파운드

찰리가 아주 착하게 굴었어요.
정말 즐거웠습니다.

-젬마 올림-

아주 단정한 글씨였다. 젬마는 모음 'ㅣ'를 쓸
때마다 위에 작은 하트 모양을 그렸다.

찰리가 소리를 질렀다.

"으–악!"

찰리는 끔찍한 분홍색 쪽지를 바닥으로 던져 버리고는 두 발로 종이를 팍팍 밟았다.

"망할 누나! 그 망할 놈의 바퀴 달린 운동화! 땋은 머리하고는! 아기를 돌보다니! 내가 아기처럼 보여?"

찰리는 주먹을 쥐고 화를 내면서 맥스 형을 뚫어져라 쳐다보았다. 해적 분장이 뺨을 타고 줄줄 흘러내렸다.

맥스와 찰리는 마주 보았다.

찰리가 외쳤다.

"웃지 마! 웃을 일이

아니라고!"

"난 웃고 있는 게 아니야."

형은 웃고 있지 않았다. 맥스는 찰리가 어떤 기분일지 너무나 잘 알고 있었다.

찰리는 훌쩍이면서 물었다.

"헨리한테 뭐라고 하지?"

찰리는 머리를 팔에 묻었다. 찰리는 사랑에 빠지는 일이 갑자기 너무 힘겹게 느껴졌다.

맥스가 해결해 보려 했다. 위기 때마다 그렇게 했듯이.

맥스가 말했다.

"잠깐 기다려!"

다음 날 아침, 찰리는 헨리에게 말했다.

"형이 내 목숨을 구해 주었어! 정말이야. 내가 기절했었는데……."

"기절했다고?"

"너무 슬퍼서. 형이 내가 정신 차릴 때까지
지독한 냄새가 나는 과자를 내 머리 위에서 흔들어
댔어. 양파 치즈 냄새. 맡으니까 기분이 좋아지더라.
어젯밤부터 벌써 네 봉지째야. 그 누난 미쳤어, 너
그거 알아?"

"젬마 누나가?"

"내가 결혼하자고 했을 때 뭐라고 했는지 맞혀

볼래?"

"뭐래?"

"'그래, 좋아.'라고 하더라고."

헨리가 말했다.

"진짜 미쳤구나."

"겁을 먹었는지 페퍼로니도 먹지 않으려고 하더라고. 저지방 요구르트만 먹었어. 좋아하는 게 그거래."

"웩!"

"그리고 우리 엄마 말이, 누난 셈도 못하고 시간도 따질 줄 모른대⋯⋯. 어쨌든, 우리 사이는 끝났어. 형도 나도. 우리는 오늘 학교 끝나고 수영하러 갈 생각이야. 맥스 형이 데려간댔어⋯⋯."

헨리는 부러워했다.

"와!"

"아줌마가 허락해 주시면 너도 같이 가도 좋다고

했어."

헨리는 신이 나서 펄쩍펄쩍 뛰며 대답했다.

"허락해 주실 거야. 우리 엄마는 맥스 형을
좋아하시거든. 책임감이 아주 강한 형이라고 했어.
그리고 다 컸다고. 성숙하고 책임감도 강하고! 너
혹시 스마티즈를 마시듯이 다른 과자도 마실 수
있어?"

찰리가 대답했다.

"아니, 하지만
코에 과자를
올려놓고
균형을 잡은
다음 혀로 핥을
수는 있어! 맥스 형이
어젯밤에 어떻게 하는지
보여 줬어."

"양파 치즈 맛 과자로?"

"어떤 맛이든."

"어쩐지 정신 나간 짓처럼 들리는데."

찰리가 말했다.

"무슨 상관이야? 형하고 난 상관 안 해!"

찰리가 사랑에 빠졌어요! 찰리는 그렇게 좋아하던 양파 치즈 맛 과자까지 포기합니다. 데이트할 때 입 냄새가 나면 안 되니까요. 헨리의 눈에는 교생 선생님이 마녀같이 보이고 차림새도 별로인데, 찰리는 어떻게든 선생님에게 멋있게 보이려고 애를 씁니다. 하지만 교생 선생님에 대한 찰리의 사랑은 반나절도 가지 못하고 끝이 나지요.

그 뒤 찰리는 꿈에 그리던 이상형을 보게 됩니다. 맥스 형 친구인 젬마 누나는 찰리에게 완벽하게 보였지요. 찰리는 젬마 누나의 관심을 받으려고 스마티즈 초콜릿 한 봉지를 입에 털어 넣다 질식할 뻔하기도 하고, 공원에서 스케이트보드를 타다 고꾸라지기도 합니다. 알 수 없는 암호를 써 가며 연애 편지도 씁니다. 이 모든 게 통했는지 젬마 누나는 찰리네 집으로 와서 찰리와 단둘이 데이트를 즐기지요.

한편 찰리의 형 맥스도 이상하게 굽니다. 멋있고 키도 크고 공부도 잘하는 완벽한 형이 전혀 관심도 없던 춤까지 연습하면서 평소와 다른 모습을 보입니다. 그러던 어느 날, 디스코 파티에 갔던 형은 잔뜩 화가 난 채 집으로 돌아옵니다. 젬마에게 바람맞은 거예요. 젬마는 노래방 기계를 사기 위해 아르바이트를 하려고 파티에 못 갔던 것이지요. 찰리는 젬마 누나가 자기랑 데이트를 하기 위해서가 아니라 아기를 돌보고 돈을 받기 위해 왔던 것임을 알게 됩니다. 찰리의 실망은 이만저만이 아니었지요.

이번 일을 계기로 형과 동생은 서로를 더 잘 이해하게 됩니다. 순수한 사랑도 끝이 나고, 찰리는 다시 냄새가 고약한 양파 치즈 맛 과자를 좋아하게 됩니다. 가슴 아픈 사랑이지만 이만하면 행복한 결말 아닐까요?

지혜연